Nadolig Llawen

Cerddi gan
Mererid Hopwood a Tudur Dylan Jones

Cyhoeddiadau Barddas
2007

ⓗ Mererid Hopwood a Tudur Dylan Jones

Argraffiad cyntaf: 2007

ISBN 978-1-900437-97-4

*Cyhoeddwyd gyda chymorth ariannol
Cyngor Llyfrau Cymru.*

Cyhoeddwyd gan Gyhoeddiadau Barddas

Argraffwyd gan Wasg Dinefwr, Llandybïe

Cynnwys

Ai Bore Fel Hyn?

Ai bore fel hyn oedd hi 'Methlem,
yn dawel ar fynydd a dôl?
Ai bore fel hyn oedd hi 'Methlem
ddwy fil o flynyddoedd yn ôl?

Ai þobl fel ni oedd yn brysio,
bob enaid i'w ddinas ei hun,
heb amser i aros a sylwi
ar eni Mab y Dyn?

Ai bugeiliaid fel ni oedd yn gwylio
eu praidd ar lechwedd a rhos,
cyn aros yn llonydd i edrych
yn syn ar ryfeddod y nos?

Ai person fel fi ydoedd Herod
a geisiodd droi'n farw bob byw,
a chwilio am elw i'r hunan
wrth esgus chwilio am Dduw?

Ai at bobl fel ni y daeth Iesu
ym Methlem i orwedd mewn crud?
Ai pobl fel ni sy'n anghofio
fod ystyr i'r Geni o hyd?

Ai bore fel hyn oedd hi 'Methlem,
yn dawel ar fynydd a dôl?
Ai bore fel hyn oedd hi 'Methlem
ddwy fil o flynyddoedd yn ôl?

T.D.J.

Dim Ond Un

Bryd hynny ym Methlem Jwdea
roedd cannoedd o deithwyr blin
yn gwthio eu ffordd i'w gwestai –
a'r lletywr? Dim ond un.

Roedd dwsinau o weision mewn palas
yn barod i blygu glin
a chredu, pe tasen nhw'n gwybod –
a Herod? Dim ond un.

Ac roedd tri gŵr doeth o'r Dwyrain,
a thwr o fugeiliad ar fryn
a lliaws o angylion llawen –
'mond un seren a'i golau'n wyn.

Roedd dau riant balch wrth y preseb,
a'u dwy wên yn llenwi'r llun,
ac yno, yng nghanol eu dathlu,
roedd baban – dim ond un.

Achos weithiau, mae un yn ddigon,
dim ond un i'n caru ni'n llwyr,
a heno, mae'r un hwnnw'n ein haros,
yn aros, er ei bod hi'n hwyr.

M.H.

Drama'r Geni

'Dwi 'di actio yn hon ers 'dwi'n cofio
a'r un yw pob sgript i gyd;
ond un peth sy'n ei wneud yn gofiadwy,
dy fod di yn y ddrama o hyd.

Ond 'dwi'm isho bod yn fugail
yn cerdded bryn a rhos
a rhynnu yn yr oerfel
wrth wylio'r praidd liw nos.

Lletywr o'n i llynedd,
lletywr cas rhif tri,
yn gweiddi dros y capel
nad oedd 'na le gen i.

Mae bod yn un o'r doethion
yn gallu bod yn cŵl,
ond mae gwisgo cyrtens parlwr
yn fy ngwneud i deimlo'n ffŵl.

Mi fwynheais i fod yn Herod,
'do'n i rioed 'di bod o'r blaen,
ond mae bod yn gas bob blwyddyn
yn gallu bod yn straen.

Mi o't ti'n Gabriel llynedd,
'dwi'n cofio hynny'n iawn,
am fod dy eiriau'n hedfan,
am fod dy olau'n llawn.

'Dwi'n un ar ddeg eleni,
dyma 'mlwyddyn ola i
i fod yma ar y llwyfan
ac wrth dy ochor di.

Ti 'di actio ymhob drama,
a hynny ers pedair oed;
bob Dolig a thrwy'r flwyddyn
ti 'di bod yn angel 'rioed.

Mi actia i leni eto,
mi ddysga i bob un gair,
a plîs, ga i fod yn Joseff
os byddi dithau'n Mair?

                                                    T.D.J.

Stori

'Dwi'n cofio, yn yr ysgol fach,
am seren mewn rhyw stori,
am deulu tlawd a gwely gwair
a Mair yn magu babi.

'Dwi'n cofio rhywbeth am ryw wrach,
neu falle frenin creulon,
ac am fugeiliaid ar y bryn
a golau gwyn angylion.

Oedd asyn llwyd? – 'Dwi ddim yn siŵr –
neu wartheg a chamelod
mewn stabal oer yn gwylio'r fam,
ond pam? 'Dwi ddim yn gwybod.

Ni chofia i lawer mwy na hyn:
mai enw'r dyn bach oedd Iesu,
a rywsut ei fod e'n ffrind i fi,
a dyna'r stori, 'dwi'n credu.

M.H.

Beth Pe Byddai?

Beth pe byddai'r stabal
yn llety llawer gwell,
a beth pe byddai'r cyfrif
heb fod mewn lle mor bell,
a beth pe byddai'r seren wen
tu ôl i gwmwl yn y nen?

Beth pe bai pob bugail
yn edrych dros y tir
heb godi eu golygon
i weld y golau gwir,
a beth pe byddai'r seren wen
tu ôl i gwmwl yn y nen?

Beth pe bai pob angel
â'u lleisiau oll yn fud,
a beth pe byddai'r doethion
heb anrheg yn y byd,
a beth pe byddai'r seren wen
tu ôl i gwmwl yn y nen?

Ond byddai geni'n digwydd
a byddai Duw'n y byd,
a byddai mab yn gorwedd
yn gariad oll i gyd,
a na, ni byddai'r seren wen
tu ôl i gwmwl yn y nen.

T.D.J.

Y Seren Bell

Ni wyddom ni'n ein hamser ddim yn iawn,
er edrych ar fanylion lawer gwaith;
ni wyddom ni, er bod ein llyfrau'n llawn
o hafaliadau'r byd a'u gwir yn ffaith;

ni allwn ddirnad pam mae'r tonnau mân
yn ceisio'n ofer serch y lleuad draw,
na pham mae'r awyr a'i chymylau glân
yn trochi'i gwisg o'i golchi yn y glaw;

ac ni all rhestrau 'run geiriadur trwm
esbonio iaith y gwynt yn nail y coed,
na sgwrs yr afon fud a blodau'r cwm –
er iddynt siarad heddi fel erioed;

ni wyddom pam mae dyn yn lladd ei frawd,
na pham mae gwledd y byd 'di'i rhannu'n dri,
a'r rhan fach leiaf oll i'r llawer tlawd
a'r rhannau mawr i'r 'chydig bach fel ni;

pe baem ni ond yn oedi 'min yr hwyr
i edrych ar y llun o bellter byd,
fe ddeuem ni i weld y gwir yn llwyr –
y cyfan drwy'r manylion bach i gyd;

pe cofiem ddisgwyl tua'r seren bell
fe glywem y gwir agos hwn yn well.

M.H.

Mewn Bocs
ym Mhen Draw'r Atig . . .

Mewn bocs ym mhen draw'r atig
mae'r Nadolig o dan glawr,
ac mae'r tinsel a'r canhwyllau
yn aros i ddod i lawr.

Ar wythnos gyntaf Rhagfyr
pan fo'r rhew yn cydio'n dynn
bydd gwres holl liwiau'r cyffro
ar y muriau gyda hyn.

Bydd 'na gelyn ar yr aelwyd
a bydd hosan wrth y tân,
a bydd cylchoedd aur y goeden
yn disgleirio'n loyw lân.

Ac ar ei brig, bydd seren,
bydd lleisiau'r nos ynghŷn,
a bydd côt Siôn Corn fel llynedd
yn llaes, a'i wallt yn wyn.

Rhown dinsel a rhubanau
ar hyd y Rhagfyr hwn,
a bydd addurniadau plastig
yn lliwio'r mis yn grwn.

Ac i'r bocs ym mhen draw'r atig
rhown y rhain yn ôl dan glawr,
yn ôl ar ben y Baban
na chafodd ddod i lawr.

T.D.J.

Gwaith y Nadolig

Mae gwaith y Nadolig yn dechrau
pan ddaw dydd Nadolig i ben,
pan fydd Santa 'di'i throi hi am adre
a'r goeden yn ddim byd ond pren.

Pan fo'r tinsel yn saff yn yr atig,
yn angof mewn dau neu dri blwch,
y cyfarchion a'r cardiau 'di'u llosgi
ac 'Ysbryd yr Ŵyl' yn hel llwch.

Bryd hynny mae angen angylion
i dorchi'u hadenydd go iawn,
a bryd hynny mae angen lletywr
all wneud lle er bo'r llety yn llawn.

Yr un pryd mae galw am fugail
i warchod y defaid i gyd,
fel mae galw am ddoethion a seren
i egluro tywyllwch y byd.

Mae 'na alw am gast drama'r geni
drwy'r flwyddyn i weithio'n gudd,
am fod gwaith y Nadolig yn anodd,
yn ormod o waith i un dydd.

M.H.

Drama Fawr y Geni

Pe caet ti'r cyfle heno,
pwy fyddet ti dy hun
yn nrama fawr y Geni,
y Geni cyntaf un?

A fyddet ti yn fugail
ar fryniau oer y byd,
yn rhoi dy oen i'r Iesu,
rhoi'r cyfan wrth ei grud?

A fyddet un o'r doethion,
y cyfoethoca'n dod
ag anrheg gyda'r drutaf
a'i roi i'r lleia'n bod?

A fyddet ti'n lletywr
yn methu cynnig lle
a gadael dim ond stabal
yn gartre i Frenin Ne'?

A fyddet ti yn angel,
yn un â'r gwynder glân,
heno yn dod â'r hanes
yn gynnes yn dy gân?

A fyddet un o'r fintai
yn mynd dy ffordd dy hun
heb glywed yn dy galon
am Dduw a ddaeth yn ddyn?

Ai Herod fyddet heno
yn crwydro tua'r crud
i droi pob dydd yn d'wyllwch
a throi pob geni'n fud?

Pe caet ti'r cyfle heno,
pwy fyddet ti dy hun
yn nrama fawr y Geni,
y Geni cyntaf un?

T.D.J.

Bugail Tri

Mae'r nos yn hir
a'r stori'n wir,
a hithau'n Ŵyl y geni,
ac fel pob mam
i fab di-nam –
rwy'n nerfus eto leni.

Pwy ŵyr yn iawn,
â'r cwrdd yn llawn
o gân a sêr Nadolig,
paham 'mond un
sydd yn y llun –
a hwnnw'n fugail unig?

Rwy'n gwylio'i daith
drwy'r ddrama faith
o'r ofn ar ben y bryniau,
nes cyrraedd Mair
heb yngan gair –
yr actor di-linellau.

O dan ei fraich
mae'n cario baich
un oen yn anrheg barod,
mae wrth ei fodd,
yn estyn rhodd –
a rywsut, rwyf i'n gwybod

drwy'i stori fud
fod gwyrth y crud
yn fywyd eto leni;
daeth 'bugail tri'
i'm tynnu i
at faban ac at Iesu.

M.H.

Mair

Mae deunydd glas amdani yn llanw
    pob llun sydd ohoni,
     a chawn o hyd mai'i chân hi
     yw'r gân yn nrama'r geni.

Ond ar lwyfan gwahanol,
gannoedd o flynyddoedd 'nôl,
ni wyddai Mair ddim o hyn
fin nos ar gefn ei hasyn.
Nid oedd ond ei dyweddi
ragor wrth ei hochor hi,
hyd ei thaith fe deithiai ef,
ei dyweddi'n dioddef
gyda hi, a hi'n hwyrhau
a'i chnawd yn llawn ochneidiau.

Ni welai yr angylion
ar waith, ond synhwyrai hon
yn ei chnawd ei chân ei hun,
ac â'i ddod, gwyddai wedyn
na châi weld ond Duw'n ei chôl
yn y geni gwahanol.

Mair y fam orau a fu
i'r oesoedd, ac i'r Iesu.
Yn ddistaw, wylai'n llawen
ac, o raid, fe griai wên
am mai mab ei fam a oedd
ym mhreseb Mair yr oesoedd.

Mae seren uwch pob geni, y mae hon
     uwch pob Mair eleni
   yn gwenu'n wyrth, ond gwae ni
   os daw Herod i'r stori.

Os daw Herod i'r stori i aros,
     ni bydd Mair yn ofni,
   mae'i Duw'n gofalu amdani
   a'i Christ wrth ei hochor hi.

                                   T.D.J.

Noswyl Nadolig

Mae seren i bob baban heno,
a'i gwên hi yng nghalon pob mam,
am mai hon sydd yng nghannwyll pob llygad,
a'i chariad yw'r golau'n y fflam.

Mae bugail i bob oen bach heno
a chorlan i'w gadw yn glyd,
ac ar noson fel heno rwy'n gwybod
bod y doeth yn credu o hyd.

Ac os oes 'na Herod yn rhywle
yn aros am gyfle i ladd,
mae lletywr yn rhywle arall
yn barod â stafell i'n gwadd.

A heno yng nghysgod pob coeden,
mae 'na anrheg dan foncyff praff
yn disgwyl am un i'w ddarganfod
a'i derbyn, a'i chadw yn saff.

Ac ond iti agor dy lygad,
fe gei di yr anrheg, cred fi,
wedi'i lapio yn dyn mewn cadachau
yn aros am rywun fel ti.

M.H.

Yr Un Addurniadau

Rwy'n rhoi'r un addurniadau
ag erioed,
rwy'n rhoi'r un goleuadau
ar y coed,
yr un yw'r angel bychan
a'r un bob tro yw'r hosan
sy'n crogi ar y pentan,
a'r un yw'r addurniadau
ar y coed.

Yr un yw'r lampau llachar
hyd y to,
a'r un yw nodau'r garol
ers cyn co',
yr un yw'r holl ddarluniau
sydd ar yr un hen gardiau,
ac o'u mewn, yr un yw'r geiriau,
a'r un yw'r lampau llachar
hyd y to.

Ond newydd ydyw'r Baban
yn y crud,
a newydd ydyw'r gobaith
dros y byd,
mor newydd yw'r hen stori
sydd yn ein cyfoethogi,
mor newydd ag eleni,
a newydd ydyw'r baban
yn y crud.

T.D.J.

Neges y Nadolig

Mae'n wir fod ambell neges
na fedr geiriau iaith
ei chludo yn ddiogel
i'r man ar ben ei thaith.

Mae'r negeseuon hynny'n
rhy fawr i sŵn y byd,
fe ddônt yn ddistaw, ddistaw
i'r galon lân o hyd.

A thrwy holl swae'r Nadolig
a ffws holl siopau'r dre
cei weld, ond i ti wrando,
hen neges golau'r ne'.

Fe ddaw mewn gwên pelydryn
yn saeth o seren bell,
yn sibrwd am dangnefedd,
yn sôn am gariad gwell.

Pan ddaw'r neges atat,
cei weld, o'i hagor hi,
fod ynddi bennod newydd
a lle i'th stori di,

y stori sy'n oleuni,
yr hanes sydd yn daith,
y geiriau sydd yn gariad,
y neges sydd yn waith.

M.H.

Cân y Noswyl

Mae'r stabal heddiw'n adfail
a'r to yn llwch ar lawr,
a'r rhastal lle bu'r gwenith
yn ddim ond rhwd yn awr.

A thros y Seren lachar
mae cwmwl yn y nen,
a hud Nadolig Bethlem
yn awr yn dod i ben.

Ac nid oes praidd yn pori
ar lechwedd ac ar fryn,
a dim ond sŵn bwledi
i'w clywed erbyn hyn.

A phan ddaw eto'r Noswyl
i Fethlem megis cynt,
a ddaw yr hen hen hanes
i ganu yn y gwynt?

T.D.J.

Unwaith . . .

Unwaith, fe gredai'r bychan
fod Santa'n dod â'i sach,
a'i fod yn dod, mewn munud,
â'r byd i blentyn bach.

A Santa'n hŷn eleni,
i fi, mae'n dal i fod,
ac eilwaith, treuliaf noswyl
i ddisgwyl am ei ddod.

T.D.J.

Ym Mwlch y Blynyddoedd

Wrth i leni lithro i gôl hanes
a chysgu ym mreichiau ddoe,
wrth i'r flwyddyn newydd ddihuno –
arhosa, a chymer hoe

cyn camu'n daliedd dros y trothwy
rhwng fory a gynnau, am nawr
oeda ac arhosa i ddisgwyl
anadl gyntaf y wawr;

disgwyl am y gwynt yn siarad,
disgwyl am y gair yn ei gân,
y gair mud na all ein gramadeg
mo'i hollti'n sillafau mân;

disgwyl am ei sibrwd ysgafn,
am yr ystyr sy'n hŷn na iaith,
yr arwydd sy'n dweud lle mae'r dechrau
a lle mae diwedd y daith;

ar drothwy drws y blynyddoedd,
rhwng cofleidio a chanu'n iach,
o'i ddisgwyl, fe gei di ei glywed,
pe bai ond am eiliad fach;

am mai disgwyl, disgwyl amdano,
yw gobeithio a gwybod yn un,
ac yma ym mwlch y blynyddoedd,
daw'r gair i'th enaid dy hun.

M.H.